МОСКВА • РОСМЭН • 2018

Литературно-художественное издание
Для детей до 3 лет
Серия «Куча-мала»

Сапгир Генрих Вениаминович

ЛЮДОЕД И ПРИНЦЕССА

Стихи

Художники: Дмитрий Непомнящий и Ольга Попугаева

Дизайн обложки В. И. Митяниной

Ответственный редактор М. А. Мельниченко
Художественный редактор М. В. Панкова. Технический редактор А. Т. Добрынина
Корректор Л. А. Лазарева. Верстка С. В. Пименовой

Подписано в печать 01.12.17. Формат 70×100 $^1/_{12}$. Бумага офсетная. Печать офсетная.
Усл. печ. л. 3,25. ID 33101. Заказ № 6377.

ООО «РОСМЭН».
Почтовый адрес: 127018, г. Москва, ул. Октябрьская, д. 4, корп. 2.
Тел.: (495) 933-71-30.
Юридический адрес: 117465, г. Москва, ул. Генерала Тюленева, д. 29, корп. 1.

www.rosman.ru

ОТДЕЛ ПРОДАЖ:
(495) 933-70-73; 933-71-30;
(495) 933-70-75 (факс).

Дата изготовления: январь 2018 г.
Отпечатано в России.

В соответствии с Федеральным законом № 436-ФЗ
от 29 декабря 2010 года маркируется знаком 0+

Отпечатано с электронных носителей издательства.
ОАО "Тверской полиграфический комбинат": 170024, г. Тверь, пр-т Ленина, 5.
Телефон: (4822) 44-52-03, 44-50-34, Телефон/факс :(4822) 44-42-15
Home page - www.tverpk.ru Электронная почта (E-mail) : sales@tverpk.ru

Сапгир, Генрих Вениаминович.
С19   Людоед и принцесса : стихи / Г. В. Сапгир ; худож. Д. Непомнящий,
О. Попугаева. — М. : РОСМЭН, 2018. — 30 с. : ил. — (Куча-мала).

Поэта Г. В. Сапгира знают и любят и взрослые, и дети. Его стихотворения
«Людоед и принцесса, или Всё наоборот» и «Небылицы в лицах» многие помнят по
мультфильмам из альманаха «Веселая карусель».
В этой книге вы найдете смешные, абсурдные стихотворения Г. В. Сапгира («Людоед и принцесса, или Всё наоборот», «Крокодил и петух», «Из разных половин», «Небылицы в лицах») с проработанными, остроумными иллюстрациями Дмитрия Непом-
нящего и Ольги Попугаевой.

ISBN 978-5-353-08616-1

УДК 821.161.1-1-93
ББК 84(2Рос=Рус)6

Генрих Сапгир
Людоед и Принцесса

ЛЮДОЕД И ПРИНЦЕССА, ИЛИ ВСЁ НАОБОРОТ

Вот как это было

Принцесса была
ПРЕКРАСНАЯ,
Погода была
УЖАСНАЯ.
Днём
Во втором часу
Заблудилась принцесса
В лесу.

Смотрит: полянка
ПРЕКРАСНАЯ.

На полянке землянка
УЖАСНАЯ.

А в землянке — людоед:
— Заходи-ка
На обед!
Он хватает нож,
Дело ясное.
Вдруг увидел, какая...
ПРЕКРАСНАЯ!
Людоеду сразу стало
Худо.
— Уходи, — говорит, —
Отсюда.
Аппетит, — говорит, —
Ужасный.
Слишком вид, — говорит, —
Прекрасный.

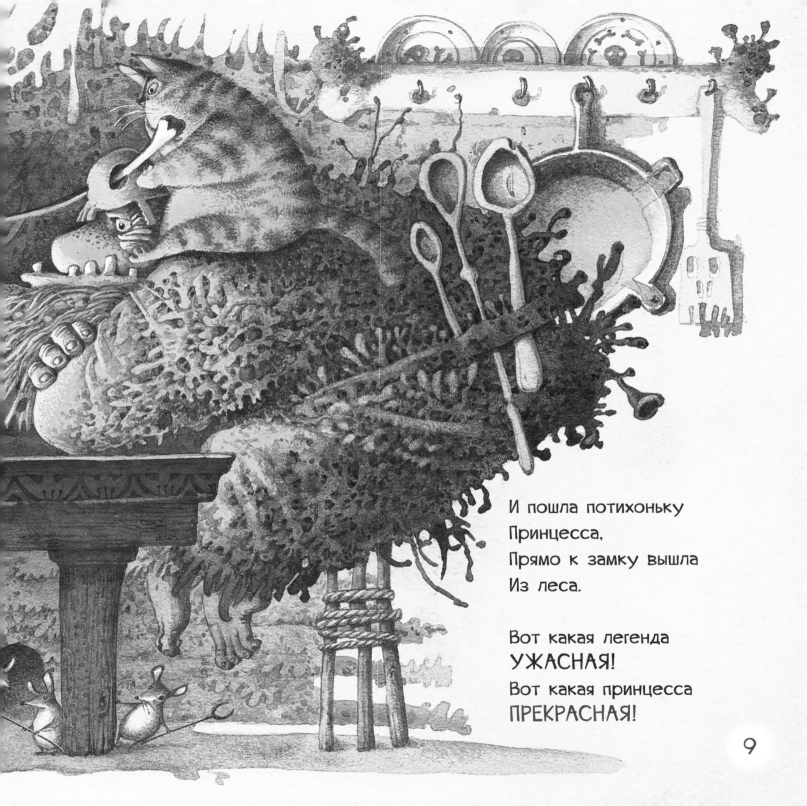

И пошла потихоньку
Принцесса,
Прямо к замку вышла
Из леса.

Вот какая легенда
УЖАСНАЯ!
Вот какая принцесса
ПРЕКРАСНАЯ!

9

А может быть, было всё наоборот

Погода была
ПРЕКРАСНАЯ,
Принцесса была
УЖАСНАЯ.
Днём,
Во втором часу,
Заблудилась принцесса
В лесу.

Смотрит: полянка
УЖАСНАЯ,
На полянке землянка
ПРЕКРАСНАЯ.

А в землянке — ЛЮДОЕД:
— Заходи-ка
На обед!
Он хватает нож,
Дело ясное.
Вдруг увидел, какая...
УЖАСНАЯ!
Людоеду сразу стало
Худо.
— Уходи, — говорит, —
Отсюда.
Аппетит, — говорит, —
Прекрасный.
Слишком вид, — говорит, —
Ужасный.

И пошла потихоньку
Принцесса.
Прямо к замку
Вышла из леса.

Вот какая легенда
ПРЕКРАСНАЯ!
Вот какая принцесса
УЖАСНАЯ!

Крокодил и Петух

На жёлтом лугу,
Где растёт чепуха
Лиловая,
Как чернила,
Повстречал
Крокодил с головой петуха
Петуха с головой крокодила.

И оба сказали такие слова:
— Какая чудна́я
У вас голова!
Я, может, неправ,
Но мне кажется, вы
Достойны скорее
Моей головы.
— Хотите меняться? —
Петух предложил.
— Отлично! Давайте! —
Сказал Крокодил.

Обменявшись такими словами,
Поменялись они головами.

И каждый подумал:
«Красива на диво!
Обманул я его,
Чудака».
И ушёл
Крокодил
С головой крокодила,
А Петух —
С головой петуха.

17

Из разных половин

Вчера или когда-то
Жил-был чудак один.
Он был как будто скроен
Из разных половин.

Своим нелепым видом
Он удивлял ребят:
Посмотрят справа — брит он,
А слева — бородат.

Одет он справа щёголем,
А слева — кое-как.
Одна нога босая,
А на другой — башмак.

Одна нога танцует,
Другая — в стороне.
Одна рука: подите прочь.
Другая: все ко мне.

Всё время улыбается
Одна сторона лица,
Другая всё время хмурится
И плачет без конца.

Так жили половинки
Не в лад и невпопад
И лишь одно любили —
Трёхслойный мармелад.

Небылицы в лицах

— Здоро́во, Никодим!

— Здорово, Егор!

Откуда идёшь?

— С кудыкиных гор.

— А как у вас, Егор, поживают?

— На босу ногу топор надевают,

Сапогом траву косят,
В решете воду носят.
Наши сани
Едут сами.

А лошади наши — с усами,
Бегают в подполье за мышами.

21

— Да ведь это кошки!
— Комара тебе в лукошке!

Наши кошки живут в гнезде,
Летают везде.
Прилетели во двор,
Завели разговор:
«КАР, КАР!»

КАР

— Да ведь это воро́ны!
— Мухомор тебе варёный!

Наша-то ворона ушаста,
В огороды шастает часто.
Скок да скок
Через мосток,
Белым пятнышком — хвосток.

— Да ведь это зайчишка!
— В нос тебе еловая шишка!

Нашего зайца
Все звери пугаются.
Прошлой зимою в лютый мороз
Серый зайчище барана унёс.

— Да ведь это волк!
— По лбу тебя щёлк!

Неужели не слыхал никогда ты,
Что волки наши рогаты?
Волк трясёт бородой,
Пообедал лебедой.

— Да ведь это козлище!
— Щелчков тебе тыща!

25

Наш козёл
Под корягу ушёл,
Хвостом шевели́т,
Ставить сети не велит.

— Да ведь это налим!
— Нет, не налим.

Мы про налима не так говорим.
Налим Никодим
Гордится собою,
Налим Никодим
Носит шапку соболью,
Ни перед кем её не ломает
И шуток тоже не понимает.

СОДЕРЖАНИЕ